Chu-chu-a, pasa el tren

por Yanitzia Canetti

ilustrado por Claudia de Teresa

HOUGHTON MIFFLIN BOSTON • MORRIS PLAINS, NJ

California • Colorado • Georgia • Illinois • New Jersey • Texas

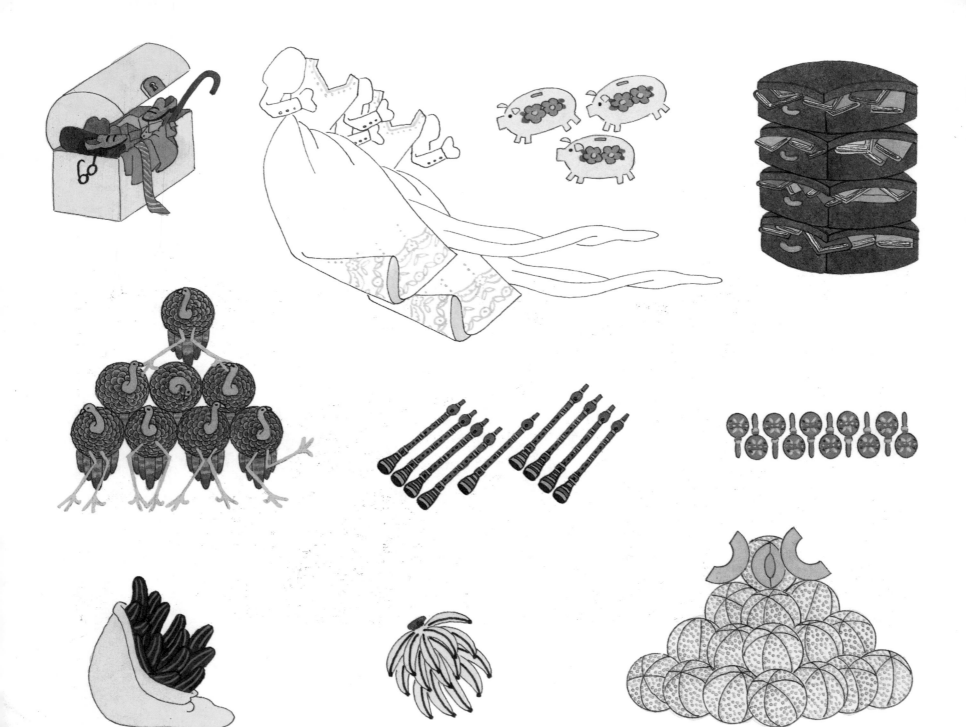

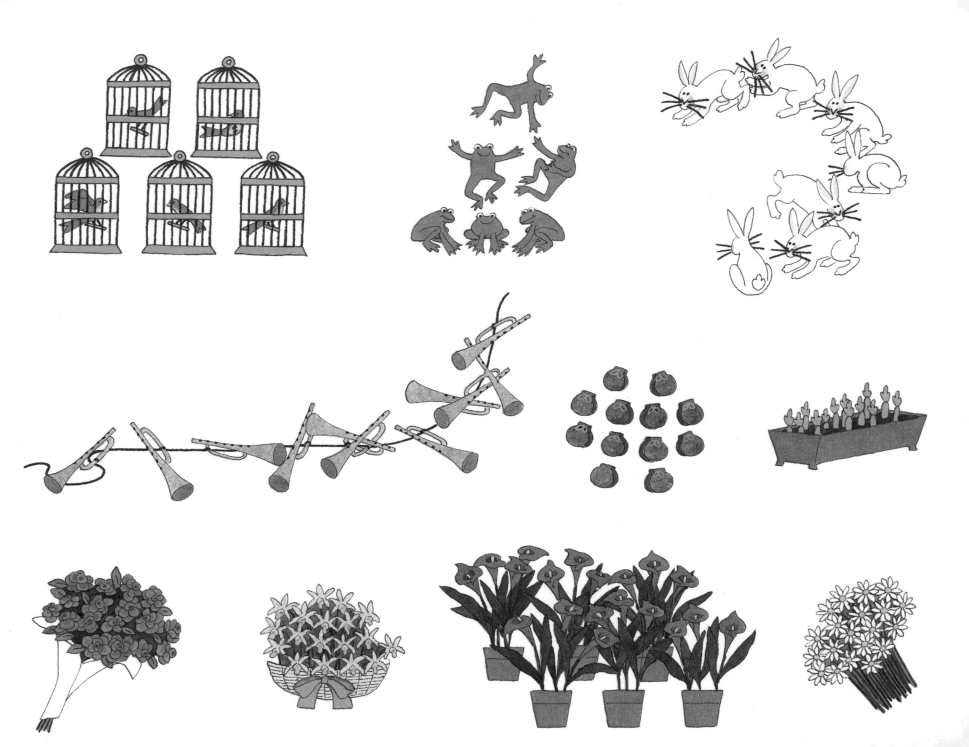

Para mis hijos Ares y Eros, a quienes les encantan los trenes divertidos.

ISBN: 0-618-22835-7

3 4 5 6 7 8 9-QK-11 10 09 08 07 06 05 04

Raca-raca-raca, chu-chu-a,
el trencito del pueblo ya pronto pasará.

1

Lo espera don Raúl
con **un** viejo baúl.

2

Lo espera doña Lola
con **dos** trajes de cola.

3

Lo espera don Matías
con **tres** alcancías.

Y lo espera Enriqueta
¡con **cuatro** maletas!

Raca-raca-raca, chu-chu-a,

6

el trencito del pueblo ya pronto pasará.

5

Lo espera don Benito
con **cinco** pajaritos.

Lo espera doña Juana
con **seis** alegres ranas.

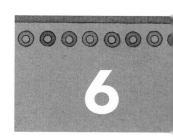

Lo espera don Panchito
con **siete** conejitos.

Y lo espera el señor Quijote
¡con **ocho** guajolotes!

Raca-raca-raca, chu-chu-a,

el trencito del pueblo ya pronto pasará.

Lo espera don Juanete con **nueve** clarinetes.

Lo espera doña Paca
con **diez** lindas maracas.

11

Lo espera Luis Martínez
con **once** cornetines.

Y lo espera Manuela
¡con **doce** castañuelas!

Raca-raca-raca, chu-chu-a,

el trencito del pueblo ya pronto pasará.

Lo espera doña Gloria
con **trece** zanahorias.

Lo espera don Justino
con **catorce** pepinos.

15

Lo espera doña Diana
con **quince** bananas.

Y lo espera el señor Quiñones
¡con **dieciséis** dulces melones!

Raca-raca-raca, chu-chu-a,

el trencito del pueblo ya pronto pasará.

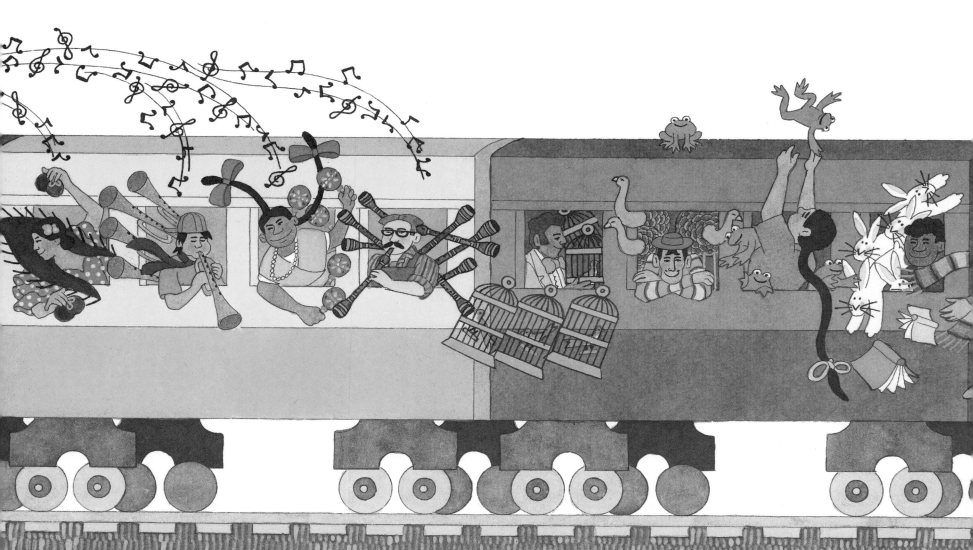

Lo espera Pepe Mendoza
con **diecisiete** rosas.

Lo espera doña Nidia
con **dieciocho** orquídeas.

19

Lo espera don Porfirio
con **diecinueve** lirios.

Y lo espera Lupita
¡con **veinte** margaritas!

Raca-raca-raca, chu-chu-a, en el

trencito del pueblo ¡no cabe nada más!

¡Ruedas chéveres!

La patineta tiene ruedas.
¿Qué la hace rodar?

Los patines tienen ruedas.
¿Qué los hace rodar?

La bicicleta tiene ruedas.
¿Qué la hace rodar?

La silla de ruedas tiene ruedas.
¿Qué la hace rodar?

La motocicleta tiene ruedas.
¿Qué la hace rodar?

¿Tienes tú algunas ruedas chéveres?
¿Qué las hace rodar?